CW00543989

Seconda ristampa, gennaio 2021

ISBN 978-88-6714-368-9

www.edizioniel.com

Fabbricato da Edizioni EL S.r.l., via J. Ressel 5,
34018 - San Dorligo della Valle (Trieste)
Prodotto in Italia

VIOLETTA E L'UCCELLINO

Mirella Mariani

EMME EDIZIONI

È UNA GIORNATA CALDA.

VIOLETTA RIPOSA
ALL'OMBRA.

UN GATTO GRIGIO ENTRA
IN GIARDINO.

IL GATTO GRIGIO SI CHIAMA GRIGIONE.

GRIGIONE VUOLE
PRENDERE UN UCCELLINO.

VIOLETTA FA SCAPPARE GRIGIONE.

VIOLETTA SALVA L'UCCELLINO!

L'UCCELLINO HA LA TESTA NERA E LA CODA ROSSA.

VIOLETTA CHIEDE ALL'UCCELLINO: «COME TI CHIAMI?»

L'UCCELLINO DICE: «CODIROSSO».

CODIROSSO HA UN'ALA FERITA.

CODIROSSO NON RIESCE A VOLARE.

VIOLETTA DICE: «TI AIUTO IO!»

VIOLETTA CORRE DALLA SUA PADRONCINA ILARIA.

ILARIA CHIAMA LA MAMMA E IL PAPÀ.

IL PAPÀ PRENDE IN MANO CODIROSSO.

ILARIA CHIEDE:
«COSA FACCIAMO?»

LA MAMMA DICE:
«CHIAMIAMO UNA GUARDIA
ECOLOGICA!»

IL PAPÀ CERCA IL NUMERO
DI TELEFONO DELLA
GUARDIA.

LA MAMMA TELEFONA.

IL CAMPANELLO SUONA.

ALLA PORTA C'È
UN SIGNORE ALTO.

IL SIGNORE DICE:
«SONO UNA GUARDIA
ECOLOGICA. MI CHIAMO
LIVIO».

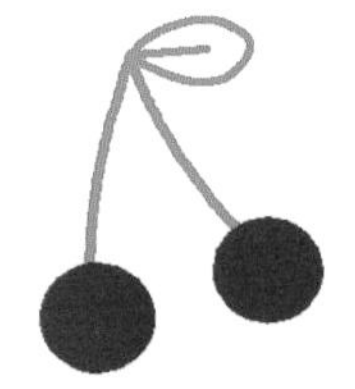

LIVIO METTE CODIROSSO
IN UNA PICCOLA SCATOLA.

LA SCATOLA HA I BUCHI
SUL COPERCHIO.

ILARIA DICE A VIOLETTA:
«I BUCHI SERVONO
PER RESPIRARE».

LA GUARDIA ECOLOGICA
CURERÀ CODIROSSO.

ILARIA, LA MAMMA E IL PAPÀ
SONO FELICI.

ANCHE VIOLETTA È FELICE.

ILARIA ACCAREZZA VIOLETTA.

ILARIA DICE: «SEI STATA BRAVA!»

VIOLETTA PENSA: «BUONA FORTUNA, CODIROSSO!»

MIAOOO

...E ADESSO
GIOCHIAMO

SEGUI LA CORDA
E SCOPRI A QUALE
DEI QUATTRO PERSONAGGI
ARRIVERÀ CODIROSSO.

TROVA LE SEI DIFFERENZE

TRA QUESTI DUE DISEGNI.

QUAL È L'OMBRA GIUSTA DEL GATTO GRIGIONE?

QUAL È IL PEZZO CHE MANCA PER COMPLETARE IL DISEGNO?

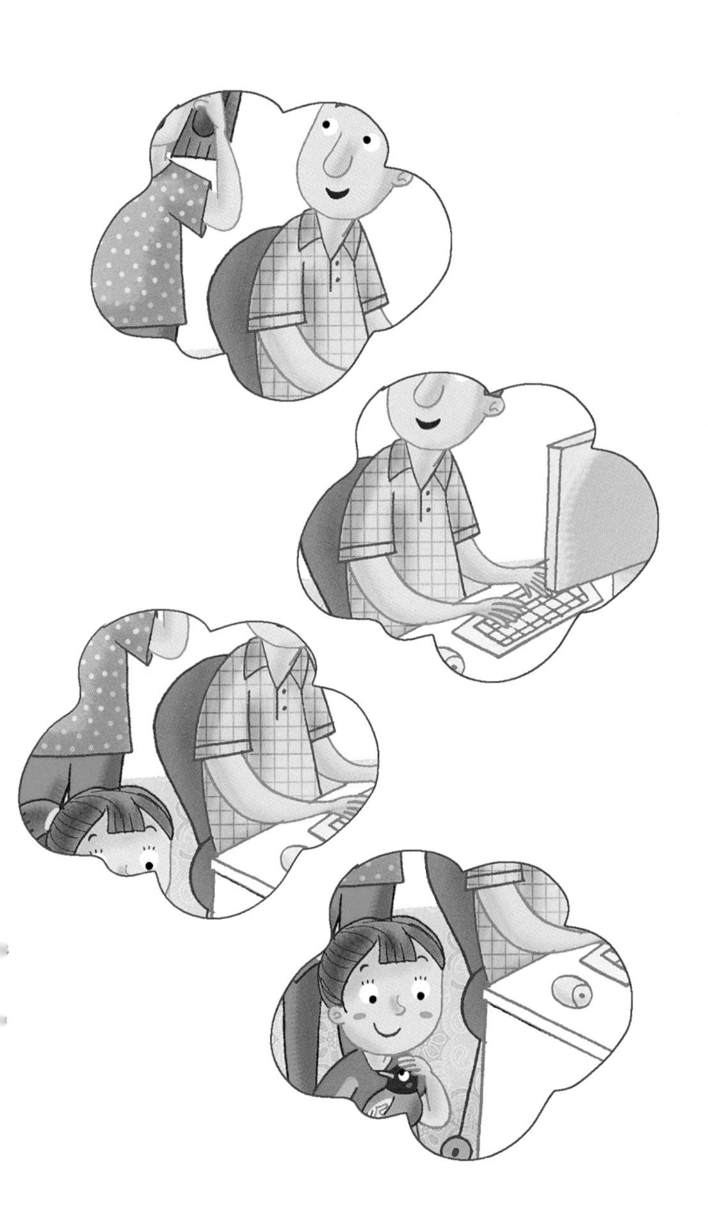

COLLANA PRIME PAGINE

5 LA NUVOLA OLGA, di Nicoletta Costa
12 L'ALBERO VANITOSO, di Nicoletta Costa
27 LA MUCCA MOKA, di Agostino Traini
60 L'ALBERO GIOVANNI, di Nicoletta Costa
86 BUONANOTTE, PACIFICO!, di Silvia Vignale
100 LA NUVOLA OLGA E IL VENTO, di Nicoletta Costa
115 LA MUCCA MOKA E LA SCUOLA DI GELATO, di Agostino Traini
120 MUCCA MOKA CONTADINA, di Agostino Traini
121 LA NUVOLA OLGA E LO SCOIATTOLO, di Nicoletta Costa
128 *Paolo Nord*, di Agostino Traini — *in corsivo!*
129 *Filippo pesciolino fa gli scherzi*, di Nicoletta Costa — *in corsivo!*
130 LA GALLINA GIACOMINA, di Nicoletta Costa
135 *La scimmietta Zazí*, di Benedetta Giaufret / Enrica Rusinà — *in corsivo!*
137 LA NUVOLA OLGA E LO SPAVENTAPASSERI, di Nicoletta Costa
142 *La Fatina Giulia*, di Francesca Carabelli — *in corsivo!*
144 LA NUVOLA OLGA E LA NEBBIA, di Nicoletta Costa
145 MUCCA MOKA GONDOLIERA, di Agostino Traini
146 *Tea tartaruga*, di Francesco Zito — *in corsivo!*
150 LA MUCCA MOKA FA IL PANE, di Agostino Traini
151 LA NUVOLA OLGA NON VUOLE DORMIRE, di Nicoletta Costa
153 LA MUCCA MOKA FA LA PIZZA, di Agostino Traini
154 LA NUVOLA OLGA VA ALLA FESTA, di Nicoletta Costa
155 VIOLETTA E L'UCCELLINO, di Mirella Mariani
157 MUCCA MOKA GUARDIA FORESTALE, di Agostino Traini
158 LA NUVOLA OLGA E GLI UCCELLINI, di Nicoletta Costa
159 MUCCA MOKA MURATORE, di Agostino Traini

160 L'ALBERO VANITOSO E IL NIDO, di Nicoletta Costa
161 MUCCA MOKA A SCUOLA DI CUCINA, di Agostino Traini
162 PIPPO E LE COSETTE ROSSE, di Altan
163 LA NUVOLA OLGA E LA LUNA BALLERINA, di Nicoletta Costa
164 MUCCA MOKA E LA MARMELLATA DI MIRTILLI, di Agostino Traini
165 IL SOGNO DELL'ALBERO VANITOSO, di Nicoletta Costa
166 LA MUCCA MOKA FA UNA CROSTATA, di Agostino Traini
167 LA NUVOLA OLGA E IL GATTO, di Nicoletta Costa
168 PIPPO PETTIROSSO E I SUOI AMICI, di Altan
169 DIEGO IL DINOSAURO, di Raffaella Bolaffio
170 MUCCA MOKA AL CINEMA, di Agostino Traini
171 MARTA E GLI UCCELLINI, di Susanna Tosatti

Finito di stampare nel mese di gennaio 2021
per conto delle Edizioni **EL**
presso Stamperia Artistica Nazionale, Trofarello (To)